Novella et nouvelles de la

RÉVOLUTION TRANQUILLE

À Jean,

En souvenir
d'un séjour agréable
à Québec

Lise Bonneville
6 décembre 2017

Conception graphique et mise en pages : Olivier Lasser

Dépôt légal – Bibliothèque et Archives nationales du Québec, 2013

Dépôt légal – Bibliothèque et Archives Canada, 2013

ISBN : 978-2-9810071-8-6

LISE BONNEVILLE

Novella et nouvelles de la

RÉVOLUTION TRANQUILLE

◡

ŒUVRES INÉDITES

ÉDITIONS LES FRANCOPHILES

Sommaire

Brève mise en contexte

Durant toute la décennie des années soixante, le Québec a connu une multitude de transforma-tions majeures qui touchaient toutes les sphères la société. La province venait de traverser le baby boom, période pendant laquelle elle avait vu sa population augmenter prodigieusement, et l'âge moyen des membres qui la formaient diminuer considérablement.

L'industrie a commencé à se développer à partir de ressources locales jadis exploitées par des capitaux, le plus souvent, étrangers. Le sys-tème d'éducation, jusqu'alors aux mains des communautés religieuses, est devenu public tout comme l'ensemble des services de santé. Les adultes étaient encouragés à retourner aux études et, puisque le travail ne manquait pas, il devenait plus facile à chacun de concilier travail et études, les deux à mi-temps pour ceux qui le désiraient. Le changement le plus spectaculaire qui survint à l'époque fut sans contredit la nationalisation des coopératives et des onze compagnies privées productrices d'électricité fusionnées avec Hydro-Québec, déjà en fonction à Montréal, pour ne former qu'une seule compagnie puissante et gigantesque. À partir de ce moment, les habitants parsemés çà et là à travers le territoire prirent conscience des avantages que pouvait offrir le changement. La méfiance fit place à l'ouverture d'esprit. La population, qui venait d'augmenter de plus de cinquante pour cent, était désormais confiante en ses propres forces et disposée à accueillir des idées nouvelles.

Pendant le baby-boom déjà, des cerveaux avant-gardistes avaient longuement réfléchi aux multiples modifications nécessaires au développement de notre société. De sorte que, en l'espace de dix ans, le Québec a traversé des étapes que des populations vivant ailleurs ont eu du mal à franchir en deux ou trois générations.

Toutes ces transformations ne se sont pas effectuées sans heurts. Les gens conformistes ont supporté difficilement les effets de la Révolution tranquille sur les individus; certains en ont profondément souffert, le plus souvent sans l'avouer.

Il n'est pas exagéré de croire que le fossé toujours existant entre les générations s'est creusé plus profondément durant cette décennie qu'en toute autre période dont notre histoire nous a parlé.

Les récits que vous lirez dans les pages qui suivent mettent en action des personnages fictifs qui oscillent entre les turbulences, caractéristiques de l'effervescence de l'époque et les tentatives presque utopiques de continuer à vivre selon les valeurs du passé.

Lui ou moi

*V*oici ce que nous racontait une jeune fille mi-travailleuse, mi-étudiante à l'époque de la Révolution tranquille.

Le statut de pigiste n'est pas de tout repos.

La semaine dernière, j'ai été soumise à rude épreuve en acceptant la proposition d'une agence que je ne connaissais pas. Il s'agissait de colliger des données éparses et d'en rédiger un rapport intelligible au commun des mortels.

Le local où je me suis présentée jeudi matin, me paraissait assez grand pour accueillir au moins vingt-cinq employés. Pourtant, j'étais appelée à y œuvrer seule avec mon patron.

Celui-ci avait un air bizarre avec ses épaisses lunettes qui ne semblaient pas lui rendre service. De plus, il avait la manie de vous dévisager de l'arrière. Vous ne pouviez pas le voir, mais vous le sentiez vous traverser de part en part avant qu'il ne se décide à parler. Alors, ce qu'il disait n'était pas de nature à vous rassurer.

La première fois qu'il a pris la parole, il a cru bon de m'adresser ce reproche :

— Pourquoi est-ce que vous écrivez deux fois la même chose ?

— Moi, je fais ça !

— Regardez comme il faut : Ces événements se sont déroulés ces événements se sont déroulés !

Je lui ai répondu, stupéfaite :

— Il n'y a pas deux lignes semblables ! C'est vous qui lisez la dernière deux fois !

Il voyait double et ne s'en rendait pas compte.

Quand il s'est pointé de nouveau, le ton avait changé : « Vous vous habillez de façon classique et vous choisissez des coloris qui vous vont bien », m'a-t-il dit d'entrée de jeu. Il a fait mine de s'en aller, mais dans une pirouette, il a rebroussé chemin : « Le vert s'harmonise parfaitement à la couleur de vos cheveux ». Ma colère commençait à faire place à l'inquiétude tandis qu'il amorçait un autre tour sur lui-même. Il est resté à peine cinq minutes dans son bureau. Puis, il est revenu vers moi, et il a poursuivi son monologue : « Vous avez un teint de rousse ; c'est une manœuvre habile de vous présenter ainsi vêtue ». Je suis demeurée bouche cousue, ce qui n'a pas suffi à le faire taire ; il a continué à soliloquer, de pirouettes en petits tours, ajoutant chaque fois un détail à son discours. Il y a inséré toutefois une variante ; au lieu de poursuivre dans mon dos, il s'est placé en face de moi pour m'examiner tout son soûl : « Vos traits font sérieux ; par contre, votre visage est doux ». Le reste m'est parvenu en phrases détachées qui formaient un tout pour le moins menaçant : « L'ensemble de votre personnalité fait que, une fois qu'on vous a rencontrée, on ne peut plus jamais vous oublier. » Et pour compléter le bouquet : « Vous ressemblez étrangement à ma fiancée qui est morte il y a cinq ans aujourd'hui »... J'étais pétrifiée.

Je me suis rendue à la salle de bain espérant reprendre mes esprits. Surprise ! Pire que tout le reste : la baignoire était remplie à ras le bord.

J'ai rassemblé tout mon courage. Devant le miroir, je me suis composé une attitude sereine et détachée et j'ai ouvert la porte... en même temps qu'il refermait celle du dehors ! Avant de sortir, il m'avait écrit un mot :

« Je vais manger. Si vous avez envie de me rejoindre, je serai au restaurant d'à côté. »

Une petite voix me soufflait :

— À ta place, je déguerpirais au plus vite !

— Oui mais, peut-être qu'il est de l'autre côté de la porte, à m'épier, prêt à m'attraper !

— Trop tard ! Je vois tourner la poignée !

Il n'avait pas été absent plus de dix minutes. J'ai couru m'asseoir derrière mon bureau. Quand il est entré, je suis restée tranquillement à ma place, sans rien laisser paraître.

La première chose qu'il a faite a été de s'approcher de moi, d'enlever ses lunettes... et de les nettoyer.

Alors, je n'ai fait ni une ni deux. Sans bruit, j'ai ouvert le tiroir à côté de lui. En me levant, je lui ai accroché le bras qui tenait les lunettes, et elles sont tombées dans le tiroir. Pendant qu'il tâtonnait, cherchant sa seconde paire d'yeux, j'ai pris mon sac, et j'ai décampé.

Le soir, aux actualités, j'ai entendu en partie la suite de mon histoire :

« En fin d'après-midi, on a trouvé un homme d'affaires dans la cinquantaine noyé dans la baignoire de ses bureaux, situés boulevard Graham à Ville-Mont-Royal. Les enquêteurs n'ont pas révélé s'il s'agissait d'un suicide ou d'un accident. »

« Je … Bof ! Après tout, c'était lui ou moi. »

Peace and love

*A*u milieu des années soixante, plusieurs courants de pensée influençaient la société québécoise.

En Angleterre, un philosophe très populaire, ou à tout le moins quelqu'un qui se consacrait à émettre des idées d'ordre philosophique, diffusait sa pensée lors d'une émission régulière à la radio. Sur le ton de celui qui cherche à convaincre son auditoire, il exposait sa théorie voulant que la cellule familiale soit directement responsable du manque d'amour, situation qu'il jugeait observable un peu partout dans le monde. En gros, cet orateur exprimait son opinion comme suit : la famille repose sur des assises établies à partir d'une notion d'exclusivité où l'amour doit se restreindre à l'attachement entre conjoints, puis s'étendre aux relations filiales qui s'établissent lorsque ces mêmes conjoints deviennent des parents. Cet état de fait engendre une conception étroite et mesquine de l'amour dont la manifestation la plus vilaine est la jalousie. Une telle conception a pour conséquence la privation d'amour envers le reste de l'humanité, ce à une époque où la famine, la guerre et les autres fléaux déclenchés par l'homme sévissent dans plusieurs pays.

À cette époque, on pouvait voir dans un journal de Londres, la phrase empruntée à l'écrivain André Gide: «Familles je vous hais», phrase utilisée pour titrer les conférences radiophoniques de l'orateur en question. Cette citation visait à mettre en lumière, dans le journal, l'idéologie prônée, laquelle ne manquait pas de faire des adeptes.

La conclusion logique de ce courant d'idées paraissait se résumer en un partage de l'amour entre tous les humains de la terre au lieu de l'exclusivité entre deux êtres, propre au couple, et aussi en un partage des responsabilités parentales entre plusieurs adultes envers plusieurs enfants non nécessairement unis par des liens biologiques ou d'adoption.

Précisément à la même époque, aux États-Unis d'Amérique, nos voisins étaient en pleine guerre du Vietnam. Quantité de jeunes gens, appelés au front, se montraient en désaccord avec la conscription forçant les jeunes à combattre des populations qu'ils n'arrivaient pas à considérer comme mauvaises, ou simplement ennemies. On voyait arriver en nombre non négligeable des *objecteurs de conscience* qui véhiculaient un slogan énoncé en dressant l'index et le majeur en forme de V, slogan qui a vite fait le tour du Québec: « Faites l'amour et non la guerre ».

Ainsi, avons-nous été témoins ici, de la tentative de mettre en pratique, à l'échelle municipale ce double courant d'idées.

Des couples, aussi bien que des célibataires seuls, se sont réunis à six, dix, quinze ou plus pour tenter de mettre en application les principes déjà énoncés. Ils préconisaient de plus un retour à la terre et le partage entre tous les participants des tâches et des responsabilités inhérentes à de tels regroupements. Rares étaient ceux qui, après avoir entendu toutes sortes d'opinions sur cette nouvelle forme d'organisation de la vie quotidienne, savaient à quels principes fondamentaux ils en devaient la conception.

C'était en perspective une expérience exaltante qui comportait sa part d'idéalisme, affichant un certain mépris envers la notion de possession individuelle, tant matérielle que sentimentale ou filiale. C'est ainsi que l'on a vu apparaître dans les régions rurales du Québec, une catégorie d'entités jamais rencontrées auparavant : *la commune.*

À Sainte-Cunégonde, il y avait plusieurs communes qui s'étaient implantées en l'espace de deux ou trois ans. Leurs membres avaient peu de contact avec les natifs du village, de sorte qu'il n'était pas facile pour ces derniers de savoir ce qui se passait chez les premiers. Cependant, une jeune femme parmi les membres était depuis longtemps amie d'une Cunégondoise, ce qui permit à celle-ci de connaître les bons côtés et les irritants d'une telle aventure.

Cette *commune* s'était formée à partir de travailleurs du milieu des communications. Ils s'étaient connus dans des circonstances où les idées nouvelles étaient véhiculées avec empressement. Le caractère de nouveauté, aussi bien que les défis entrevus devant une expérience de cette nature avaient tout de suite séduit les participants. Ils avaient convenu de vivre en *commune* le temps d'un été, quitte à prolonger l'expérience si elle s'avérait positive. Après avoir éliminé ceux d'entre eux qui ne disposaient pas de la somme nécessaire au versement initial du loyer, ils demeurèrent huit : quatre hommes et quatre femmes qui ne recherchaient pas d'intrigue amoureuse, ni de pansements magiques à leurs blessures passées ; huit hommes et femmes de bonne volonté ayant avant tout envie d'essayer ce dont ils avaient tellement entendu parler. Aucun n'avait d'enfant.

Les débuts furent simples : il s'agissait de s'installer à l'endroit choisi et de prévoir une forme d'organisation des travaux quotidiens, de même que des corvées pour les semailles et la récolte des légumes et des céréales. Ce fut pourtant la première pomme de discorde qui tomba du pommier à peine secoué.

Une fois les documents signés et les sommes versées à qui de droit, le groupe était prêt à vivre ses douze semaines d'expérimentation. Les huit participants arrivèrent à Sainte-Cunégonde les uns après les autres un vendredi soir de juin.

Une fois qu'ils furent tous en place, les hommes émirent l'opinion qu'il importait de procéder rapidement à la répartition des tâches. L'un d'entre eux, Paul, suggéra que celui qui en avait parlé entame cette répartition. Saisissant la balle au bond, Jean-Luc, premier locuteur, déclara qu'il conduirait le tracteur pour les travaux de la terre et qu'il tondrait le gazon deux fois par mois. Paul, proposa un bon gueuleton tous les samedis soir et l'achat des denrées nécessaires à sa réalisation. Dominique, pour sa part, se donna pour mission l'entretien de la plomberie et de l'électricité, si cela s'avérait nécessaire; il balaierait aussi l'escalier et la terrasse une fois par semaine. Restait Sylvain qui s'engagea à faire le marché pour les vingt repas hebdomadaires qu'il faudrait prévoir et aussi pour le remplacement des produits d'entretien ménager; il spécifia qu'il utiliserait, pour ce faire, une liste que chacun aurait le devoir de compléter au fur et à mesure que le besoin s'en ferait sentir.

Aucune femme n'avait encore ouvert la bouche. Elles étaient persuadées que, de toute manière, elles seraient désignées à la part du travail qu'elles désiraient le moins accomplir. Hélène choisit les lessives, et le repassage qui s'ensuivrait. La deuxième, Henriette, s'engagea à cuisiner vingt repas par semaine. La troisième, Céline, promit de faire chaque soir le ménage de la cuisine et de la salle de séjour, et aussi de ranger les objets d'usage commun qui ne seraient pas à leur place. Marie-Chantal, la dernière à s'exprimer, déclara en appuyant sur les chiffres: «Je ferai donc le ménage des huit chambres et des trois salles de bain.» Toutes les têtes se tournèrent vers Dominique. Quelqu'un lui fit remarquer que, n'étant ni plombier, ni électricien, il risquerait de causer des ennuis à tout le groupe, si un incident majeur survenait à quelque partie de ces deux éléments qu'il aurait tenté de réparer. Dominique accepta de mauvais gré de nettoyer régulièrement les trois salles de bain, ajoutant que, pour ce qui était des huit chambres, il serait juste et légitime que chacun s'engage à entretenir la sienne.

Il était tard, le débat était clos (pour l'instant).

⠀⠀⠀⠀⠀⠀⠀⠀⠀⠀⠀⠀⠀⠀⠀⠀⠀⠀⠀⠀⠀⠀⠀⠀⠀⠀⠀⠀⠀⠀⠀↶

On prit l'apéro tandis qu'Henriette, la cuisinière du groupe, s'attaquait à la préparation du repas, à même les provisions que chacun avait apportées après avoir vidé son réfrigérateur.

On mangea vers minuit et il n'y eut pas d'après-repas. Céline, troisième des femmes qui avaient participé à la répartition des tâches, contempla avec dédain celle qui lui incombait. Elle osa prendre la parole pour rouvrir le débat: «Personne n'est assigné à la vaisselle, elle a été oubliée.» Tous tombèrent d'accord instantanément: « On discutera de ça demain matin.» Et tout le monde alla se coucher, exténué.

Le samedi matin, chacun se leva tard et se fraya un chemin à travers les bagages et les reliefs de la veille pour se fabriquer un petit déjeuner de fortune. Il pleuvait, les hommes parlèrent donc d'organiser un jeu de société, afin de traverser la journée à l'abri de l'ennui. Paul suggéra un tournoi de poker. Les autres eurent tôt fait de lui rappeler qu'il avait un gueuleton à préparer pour le soir même et les courses à faire au village en vue de ce repas alléchant. Il ne fut plus question de jeu de société.

Marie-Chantal, avec un brin de malice, prit la parole : « Je ne voudrais pas tourner le fer dans la plaie, mais la vaisselle n'est toujours pas assignée... J'entends un silence éloquent, ajouta-t-elle, rieuse. » Sylvain, troisième au rang des locuteurs, répondit que cette tâche revenait à la personne qui n'avait plus rien à faire : « Donc, c'est à toi, Marie-Chantal ». On entendit un début d'applaudissements qui s'arrêtèrent net lorsque quelqu'un fit remarquer que cette manifestation d'approbation ne serait peut-être pas appréciée de tous et surtout pas de toutes. Marie-Chantal prit une feuille blanche et y inscrivit le premier achat de la liste : deux paires de gants de caoutchouc.

Henriette, qui commençait à préparer le repas du midi, déclara que celui qui s'était lui-même préposé aux emplettes devrait donner un coup de main à la cuisine et qu'elle-même devrait l'accompagner aux achats puisque c'était elle qui planifierait quelles denrées seraient servies à chaque repas. Cette fois, on applaudit franchement et certains crièrent : « Bravo, Sylvain », en riant sous cape. Celui-ci se trouvait en très mauvaise posture pour refuser son aide et n'eut d'autre choix que de s'abstenir de protester. Hélène fit remarquer que, applaudir à une telle déclaration, c'était vraiment, à proprement parler, tourner le fer dans la plaie. Sylvain se contenta de répliquer qu'il n'y avait pas encore de plaie.

⚬

Au milieu de ce même après-midi, Marie-Chantal reprit la parole : « Moi, je n'arrive pas à oublier que je suis ici pour m'amuser en plus de faire une expérience qui s'annonçait captivante. Il serait peut-être temps d'entreprendre l'inventaire de ce qu'il y a d'intéressant à faire dans la région. » Elle s'était préparée et sortit de la poche de son tablier une feuille qu'elle afficha au babillard.

- Le théâtre *Des quatre vents* présente une pièce six soirs par semaine.

- L'orchestre philarmonique donne un concert en plein air tous les dimanches, ici, au parc municipal.

- Il y aura un méchoui ouvert au public le deuxième samedi de juillet.

- L'exposition agricole a lieu à la mi-août.

- La plage est ouverte tous les jours de 10 heures à 16 heures.

- On peut louer des bicyclettes de randonnée pour ceux qui n'ont pas la leur.

- La cueillette des champignons, supervisée par un mycologue chevronné, se fait à un point différent de la forêt tous les mercredis matin.

- Et il ne faut pas oublier la cueillette des petits fruits qui commence par les fraises dès maintenant.

— J'espère qu'on n'est pas tenus de participer en groupe de huit à toutes les activités qu'on choisit.

— Non! Non! Non! Non! Non! Non! Non!

— Alors, ceux qui n'auront pas choisi l'activité récréative du jour pourraient s'occuper à désherber le potager, dit Paul.

— Il y a aussi d'autres tâches qui ont été laissées à la bonne volonté de tous ; par exemple : l'arrosage des jeunes plants et la conservation des petits fruits, renchérit Henriette.

— Vous ferez ça sans moi, ajouta Paul, je pars demain soir pour Montréal ; je vais travailler trois jours par semaine.

— Ça aurait été formidable de nous le dire avant qu'on s'installe ici, dit Hélène.

— Qu'est-ce que ça aurait changé ? Je travaille, je travaille ; c'est tout. Tu vas essayer de me faire croire que tu serais restée à Montréal si tu l'avais su ?

— Chose certaine, c'est qu'on n'aurait pas avalé tout cru ta tentative de nous faire désherber le potager pendant que tu seras absent.

— On ne pourrait pas se trouver de temps à autre un sujet de conversation intéressant ?

— Bien dit, Marie-Chantal. Douze semaines à ce régime-là ! On va trouver la vie longue !

La crainte de Jean-Luc rejoignait celle de Marie-Chantal. Céline, qui ne parlait pas souvent, enchaîna.

— Je suis d'avis qu'on laisse les sujets venir d'eux-mêmes ; habituellement, les conversations les plus intéressantes naissent de génération spontanée, non ?

— Céline a raison. Et puis, je craindrais que les sujets jugés valables soient exploités pendant que je suis à la cuisine, réduite à regretter de rater le meilleur en épluchant mes oignons.

— Pauvre Henriette ! Ça serait le comble de l'échec, dit Dominique.

— Moque-toi de moi si tu veux !

— Si ça peut vous consoler, les enfants, on a déjà vécu exactement un quatre-vingt-quatrième de notre expérience ici. Conseil gratuit de Marie-Chantal : faisons le décompte tous les jours, pour être sûrs que le nombre qu'il nous reste encore à supporter ici en vaut la peine, avant d'aller nous pendre.

∽

« Nous étions conscients de manquer de spontanéité dans nos échanges quand nous étions tous confinés dans cette même maison, alors que, à Montréal, après le travail, nous nous sentions tellement plus à l'aise pour discuter en mangeant ensemble au restaurant ou en prenant une bière au petit bar d'à côté, a raconté Céline, la Cunégondoise d'origine. »

« Là-bas, quand on était tous les uns sur les autres dans la maison de campagne, une nouvelle attitude s'est installée entre nous ; comme la peur de se faire grignoter par l'autre une partie de son espace ou de son autonomie. »

« D'ailleurs, ce n'était pas le pire problème que le groupe a connu. En voulant imposer aux femmes la manière d'être qu'ils jugeaient souhaitable, les hommes sont devenus sourds et aveugles à nos attentes. C'était peut-être un handicap voulu, allez donc savoir ! Le fait est qu'aucune allusion énoncée par une femme n'a jamais été retenue par un des hommes du groupe. Alors que l'inverse se produisait fréquemment. Dès qu'un homme émettait un souhait, l'une des femmes, quand ce n'était pas les quatre en même temps, saisissait la perche tendue. »

Un exemple ? Un soir, sur le point de partir pour assister à la pièce de théâtre, Paul avait sa petite idée sur la manière de s'y rendre.

— On va pas prendre huit voitures. Qui veut monter avec moi ?

J'ai dit : « Moi. » Henriette et Jean-Luc ont dit : « Nous aussi ». Sylvain, pour sa part a dit : « Les trois autres, montez avec moi ! » Marie-Chantal a plutôt invité Sylvain et les autres à monter avec elle.

— Il faut que je prenne de l'essence, de toute manière.

Et la discussion a commencé.

— Tu prendras de l'essence une autre fois. Monte ! Si tu veux pas nous mettre tous en retard.

Marie-Chantal a cédé pour ne pas démarrer une dispute. Et le reste de l'été s'est déroulé de la même manière.

Un jour, Henriette a fait allusion au tracteur en racontant que, enfant, elle aurait voulu en conduire un, mais que cela n'avait jamais été possible. Jean-Luc s'est senti interpellé : « Si tu m'avais pas dit que tu savais pas conduire, je t'aurais laissée l'essayer. » Elle a répondu : « Ça ne doit pas être tellement difficile, je vois partout des enfants en conduire un dans les environs ». Jean-Luc a répliqué : « Justement, des enfants ! C'est quand on est ENFANT qu'on apprend à conduire un tracteur ; à ton âge, c'est un peu tard pour apprendre ».

Tout le groupe en était arrivé à camoufler le fond de sa pensée et à taire ses émotions pour ne pas s'engluer dans une querelle à huit.

⤶

Le jour du départ, le noyau en voie d'éclatement a éprouvé le besoin de dresser un bilan de son expérience. Étant donné que personne ne savait par où commencer, une feuille divisée en deux a servi de point de départ: côté négatif, côté positif. Tous étaient d'avis qu'il fallait d'abord éliminer le négatif. Tous d'accord aussi que le groupe se situait très loin de l'amour universel et du partage sans réticence, qui aurait dû constituer pourtant la base de l'expérience. Le moment était venu de s'avouer mutuellement que, chaque fois que quelqu'un prononçait les mots *juste* et *légitime,* tout le monde se sentait lésé. Ils ont fait la supposition: *Et si on avait eu des enfants?* La réponse a été unanime: « *Ah là! J'aime autant ne pas y penser* ». Côté positif, maintenant, il y a eu les bons gueuletons du samedi soir, les jours ensoleillés, n'importe où sauf à l'intérieur, les promenades en canot sur le lac, la cueillette des champignons et des petits fruits, la confiture à peine cuite sur les crêpes le matin, les couchers de soleil et les réveils au chant des oiseaux, les cliquetis, freloutis, zifletis des insectes, les soir de grande chaleur, l'odeur du foin fraîchement coupé, la grosse lune orange et les étoiles filantes du mois d'août. Et le plus positif du positif : « C'est qu'on pourra quand même continuer à se voir après les douze semaines qu'on vient de passer ensemble ».

Et Céline d'ajouter : « Ma plus grande satisfaction, ça a été de vivre quatre-vingt–quatre jours et quatre-vingt-cinq nuits sans que le téléphone sonne. Pouvoir prendre un bon livre et le lire pendant quatre ou cinq heures sans être dérangée, ça vaut de l'or. J'espère qu'en plus de tous les gadgets que les inventeurs infiltrent dans nos vies ces temps-ci, ils n'arriveront pas un jour à nous en sortir un qui permettrait d'appeler n'importe où, n'importe quand, même quand on est en vacances. Parce que pour moi, voyez-vous, les vacances sans le téléphone, c'est l'antichambre du bonheur.

La Commune brûle

*L*es communes ne jouissaient pas toujours d'une très bonne réputation. Parmi les groupes installés à Sainte-Cunégonde au cours de la décennie mille neuf cent soixante-soixante-dix, l'un d'entre eux attirait particulièrement l'attention. On n'y voyait que des femmes et des enfants.

Devant ce phénomène, les gens jasaient et chacun y allait de ses spéculations : pour les uns, les femmes étaient des filles-mères qui avaient refusé de donner leur enfant en adoption, pour d'autres, il s'agissait de veuves qui vivaient de la pension de leur défunt mari, pour d'autres encore, elles appartenaient à une catégorie de gens dont il ne fallait pas trop parler. D'aucuns pensaient qu'il y avait du mystère là-dessous et qu'il valait la peine d'investiguer davantage afin de découvrir le fond de cette énigme. Malgré les tentatives d'extorsion de renseignements auprès de ceux qui, d'habitude, en savaient long sur la vie intime des gens cachotiers, on ne trouva rien à se mettre sous la dent. Il n'y avait plus que le notaire à qui on n'avait pas encore eu recours. Il n'aurait pas été habile de l'interroger directement; ne serait-ce que par principe, celui qui avait rédigé tous les documents importants du village aurait refusé de dévoiler la teneur du plus intéressant.

L'un des fins renards de Sainte-Cunégonde se rendit chez le cultivateur voisin de la *commune des femmes*. Il demanda à ce dernier s'il était bien certain que les travaux d'arpentage qui délimitaient les bornes entre sa ferme et *la commune* avaient été effectués correctement. Le fermier n'en savait rien et le doute était semé dans son esprit. Le fin renard lui conseilla de s'enquérir auprès du notaire du nom sous lequel le terrain et les bâtiments de *la commune des femmes* avaient été acquis. L'homme de confiance des villageois ne refuserait sûrement pas de répondre si on lui expliquait le motif de cette demande d'information. Le notaire, peu méfiant, et voyant poindre à l'horizon une abondance de travail supplémentaire, répondit sur le ton d'une personne qui se prépare à transmettre une révélation grave et de première importance. Le nom inscrit au contrat était celui de *l'Association des familles dont le père est un prêtre.* On aurait tiré une décharge de coups de canon sur le village que les habitants n'en auraient pas été autrement ébranlés.

Un endroit si paisible! Un village traditionnellement habité par des gens nobles de cœur, fiers de la valeur de leurs ancêtres, des gens sans tache, admirés jusqu'au dernier installé parmi eux, soudain aux prises avec un... un ramassis de femmes mal prises (par leur faute assurément), c'en était assez pour soulever l'indignation des moins préoccupés de leur réputation. «On n'avait pas assez de voir tout s'écrouler autour de nous, sans que des indésirables, des malvenues, viennent nous tirer le terrain de sous les pieds. On veut que l'arpentage soit refait! On veut que justice soit rendue, criaient les plus prompts à réagir.» Les plus curieux savaient, pour leur part, quel genre de question il était bon de poser dorénavant.

Le groupe des indignés, se gardant de toute précipitation, voulut d'abord connaître l'historique de cette association. Personne ne comprenait comment un tel regroupement avait pu prendre forme, mais quelqu'un se souvenait vaguement avoir entendu parler, à la radio ou à la télévision, d'une affaire semblable. C'était deux ou trois ans auparavant. «Le journal! s'écria quelqu'un. Si on en en parlait aussi ouvertement, c'était certainement publié aussi dans le journal.» Le travail de recherche s'avérait ardu. On alla consulter les archives du quotidien le plus friand de ce genre d'histoires. On commença par les numéros parus deux ans auparavant et on éplucha, à rebours, les colonnes traitant des problèmes de société. Ce ne fut pas une longue investigation : le reportage datait de seulement deux ans et demi.

Dans le volumineux article qui traitait de cette affaire, une première femme était interviewée. Elle racontait qu'elle était tombée amoureuse d'un prêtre, son confesseur, et que ce dernier partageait les mêmes sentiments. Il avait proposé des rencontres, dans la plus stricte intimité, à cause de sa délicate situation. Ils s'étaient donc vus clandestinement jusqu'à ce qu'elle devienne enceinte, moment où il avait définitivement refusé de la revoir. Elle avait décidé de garder l'enfant, l'avait écrit au père, mais ce dernier n'avait jamais répondu à sa lettre. Elle se voyait donc condamnée à élever seule sa fille, tout en espérant qu'il la reconnaîtrait un jour. Cela ne s'était pas produit. Entretemps, elle avait rencontré au parc, une autre femme dont le fils avait, à quelques semaines près, le même âge que sa fille. Les deux femmes s'étaient revues ; elles étaient devenues amies. En comparant leurs expériences passées, elles avaient conclu à une similitude des faits qui les avaient frappées. D'autant plus que la mère du bébé mâle connaissait une autre femme plongée dans la même situation. Elles se doutaient bien qu'elles n'étaient pas les seules à vivre ce cauchemar.

Les trois mères célibataires avaient réuni leurs forces pour entreprendre une campagne en vue de débusquer leurs semblables réduites au silence. Elles avaient parcouru toutes les paroisses du diocèse, laissant dans les endroits publics munis d'un babillard, une affichette rose diffusant ce message :

« À TOUTES LES MÈRES D'ENFANTS SANS
PÈRE OFFICIELLEMENT CONNU, CE
MESSAGE S'ADRESSE À VOUS. »

« Nous voulons former une association
avec vous qui subissez des contraintes
semblables aux nôtres. »

« CONTACTEZ-NOUS ! »

Le message était suivi d'un numéro de téléphone.

Le résultat de l'initiative fut la réception de vingt-deux réponses ; huit de ces femmes révélaient que le père était un ecclésiastique ; et plus de la moitié d'entre elles déclaraient avoir plus d'un enfant né du même père.

Ces femmes se sont réunies à plusieurs reprises en vue de décider quelles mesures elles pouvaient prendre.

L'indignation avait fait place à la colère et cette colère leur avait donné le courage de sortir de la clandestinité. Toutes ensemble, elles s'étaient rendues droit à l'évêché où elles avaient attendu jusqu'à épuisement d'être reçues par leur évêque. Ce qu'elles demandaient n'était pas compliqué : que le chef du diocèse force tous ces pères, membres du clergé, à reconnaître les enfants qu'ils avaient faits. L'évêque, sans se départir de son flegme teinté de bonté, avait servi aux onze femmes une semonce de première classe ; rebuffade qui prenait la forme d'une parole de l'Évangile : « Malheur à ceux (et à celles) par qui le scandale arrive. » Continuant sur sa lancée, il avait ajouté : « Dieu vous punira si vous révélez à qui que ce soit ce qui doit demeurer secret ; par contre, Il vous récompensera si vous persistez dans votre saine discrétion. »

Les onze indignées avaient quitté l'évêché plus en colère qu'elles ne l'étaient à leur entrée.

C'est alors qu'après s'être consultées à nouveau, elles avaient entrepris des démarches afin de réunir la somme nécessaire à l'acquisition d'un terrain équipé de bâtiments propres à établir une commune. Et cette partie de leur vie, du moins, s'était déroulée tel qu'elles le souhaitaient. Elles étaient devenues propriétaires du terrain, avaient aménagé la grande maison qui y était construite, et fait ajouter des dépendances en procédant à la finition d'autres bâtiments déjà existants. Le tout pouvait aisément loger une trentaine de personnes. Ce n'était pas le bonheur à proprement parler, mais elles connaissaient un moins grand malheur que celui qu'elles avaient dû supporter au cours des années passées. De plus, elles se sentaient enfin à l'abri de l'insécurité.

Ces femmes n'auraient jamais deviné que, du seul fait qu'elles se permettaient d'exister manifestement, elles s'étaient déjà créé des ennemis.

~~6~~

Le fin renard de l'autre groupe des indignés avait effectué du bon travail. Il tenait maintenant en main un document attestant que le cadastre s'avérait imprécis, et qu'il était: *à revérifier sur toute la partie qui couvrait la commune et la ferme d'à côté.* Les procédures d'arpentage allaient donc commencer incessamment.

Tandis que les indignés jubilaient, les in-dignées, elles, avaient un anniversaire à célébrer. Il y avait un an cette semaine-là qu'elles avaient entamé leur nouvelle vie communautaire. Elles avaient prévu une fête marquée par un grand feu de joie. Pour l'allumer, il était plus commode de trouver, directement à l'orée du bois, des rameaux et du bois secs qui flamberaient vite et impressionneraient tout le village. Les onze femmes et la vingtaine d'enfants (ils étaient à présent vingt-quatre), se rendirent à l'autre bout de la terre, transportant les plats et les autres provisions destinées à festoyer. Le groupe dégusta le festin et, sitôt le repas terminé, on alluma le feu. Il monta si haut dans le ciel qu'il devint visible du village voisin. On com-mença à faire griller des guimauves. Les enfants dansaient et chantaient et les mamans les accompagnaient, heureuses de voir tout ce petit monde aussi réjoui. Le vent s'éleva et poussa des étincelles vers les branches. D'un arbre à l'autre, l'incendie se propagea avant même qu'on eût le temps de repérer un endroit où trouver de l'eau. Les pompiers étaient loin et il n'y avait aucun téléphone à proximité. Lorsqu'enfin on comprit qu'il n'y avait rien d'autre à faire que de constituer une chaîne humaine transportant des seaux d'eau de la maison à la forêt, tous restèrent figés sur place. La maison et les autres bâtiments situés à l'autre extrémité du terrain étaient également en feu. Tout y passa : la forêt et la commune furent rasées net.

_6

Au lendemain de la conflagration, dans le groupe des indignés, on commenta l'affaire en ces termes : « On pouvait pas s'attendre à autre chose en laissant des femmes qu'on connaît pas devenir propriétaires d'une partie de nos terres ».

De leur côté, les femmes visées n'eurent pas le moindre soupçon. Elles ne se demandèrent même pas qui avait intérêt à ce que *la commune* brûle.

Fait plus étrange encore, pas un curé ne vint sur les lieux du drame porter secours aux sinistrés.

Les gens du village, par contre, voyant le malheur frapper des personnes soudainement devenues sympathiques, ne se tenaient plus de compassion. Un revirement total se produisit. On loua des maisons mobiles pour loger les trente-cinq sans-abri ; on obtint d'une compagnie de fabrication de bière qu'elle leur prête une immense tente, laquelle leur servirait de salle de séjour ; enfin, on leur promit d'organiser plusieurs corvées jusqu'à ce que les bâtiments soient entièrement reconstruits. Même le groupe des indignés y participa.

Doit-on en conclure que, lorsque l'on est haï, il est bon que le malheur s'abatte sur soi ? À chacun de tirer de cette histoire la leçon qui lui convient.

Fin

L'Étonnant retour d'Evelyne Leduc

[Novella]

Lorsque j'ai aperçu Évelyne Leduc pour la première fois, elle était assise à même le sol encore humide. Elle se trouvait dans un état pour moi difficile à décrire, tant il ne pouvait se comparer à rien d'autre; à rien, du moins, de ce que j'avais pu soupçonner en matière de désarroi adulte durant le peu d'années que j'avais vécu. Je devais avoir quinze ou seize ans et je m'efforçais d'en paraître vingt.

Ce jour-là, je faisais une randonnée à bicyclette, sans but précis, simplement pour humer le printemps qui se glissait doucement, m'offrant à respirer un parfum d'herbes vert tendre et de jacinthes fraîchement sorties de terre.

En voyant cette femme défaite, en larmes, affaissée au bord de la route, je me suis arrêtée, obéissant à un élan de compassion. Alors, j'ai commencé à emmagasiner ce recueil qui se fixait dans ma mémoire : des bribes d'une vie hors de son époque et très éloignée de l'ordinaire.

Je lui ai demandé :

— Êtes-vous malade, Madame? Je peux faire quelque chose pour vous?

Si elle avait répondu oui, j'aurais été bien en peine de poser le geste adéquat. J'étais figée sur place, tétanisée par ma première confrontation à la détresse humaine.

Elle avait en face d'elle une oreille attentive ; j'ai compris que c'est tout ce dont elle avait besoin. Alors, elle a entamé de peine et de misère le récit de la série de coups insupportables qui l'avaient mise dans cet état. Au début, elle parlait d'une voix éteinte qu'un faible souffle parvenait à acheminer jusqu'à moi. Puis, au fur et à mesure qu'elle s'emportait dans sa narration, elle trouvait la force de hausser le ton, pour retomber ensuite dans une sorte de coma entrecoupé de soupirs, qui durait quelques secondes et se terminait en un sanglot. Et son histoire reprenait de plus belle.

reconstruction des bâtiments écroulés, elle avait jeté sur lui un regard de femme et vu en lui un homme extraordinaire. Elle avait convoité cet homme comme une femme désire un homme dans la vie laïque. Elle se voyait déjà à ses côtés, lui, ayant repris sa liberté, consacrant désormais sa vie à fonder une famille avec elle et ne se préoccupant plus que de leur bonheur et de celui de leurs enfants. Elle n'avait pas hésité longtemps avant de lui avouer son amour. Lui, malgré le trouble qu'il éprouvait visiblement, l'avait écoutée. Puis il l'avait remise à sa place. Elle en avait ressenti une telle honte qu'elle se croyait obligée de cacher ce revers. Sur le moment, elle n'avait parlé à personne de la gifle au cœur que venait de lui infliger un homme de Dieu. Elle avait vite compris qu'elle n'en parlerait jamais ; alors elle s'était inventé une vocation soudaine et avait annoncé qu'elle entrerait chez les religieuses cloîtrées. Quelques semaines plus tard, elle mettait son projet à exécution au grand désarroi de ses parents. Cependant, à l'époque, une famille chrétienne ne se plaçait pas en travers de la volonté de Dieu. Aussi, pour ne pas être perçus comme des gens égoïstes, le père et la mère d'Évelyne avaient-ils présenté à tous la décision de leur fille, en arborant un sourire d'apparente satisfaction, puisqu'elle répondait ainsi à l'appel du Seigneur.

La Supérieure du couvent se montrait inquisitrice quand il s'agissait de sonder les véritables motifs d'une vocation. La novice avait réussi à la berner. Évelyne avait passé en revue toutes les raisons susceptibles de conduire une jeune fille au cloître ; et lors des interrogatoires, elle faisait défiler ces motifs de la même manière qu'elle récitait son chapelet. Cette habileté à camoufler le fond de son coeur lui avait valu le privilège de porter dorénavant le nom de Sœur Évelyne-de-la-Sainte-Résolution. Alors commença pour elle une existence humble fondée sur la prière, le sacrifice, la chasteté et l'obéissance.

La nouvelle religieuse appréciait, en un sens, cette vie exempte de toute responsabilité. Elle n'avait plus de volonté propre à exprimer, plus de choix à faire. Elle se contentait d'obéir à la règle et de suivre, au tic tac de l'horloge, les directives qui lui arrivaient de plus haut. Elle priait quand il fallait prier, mangeait quand il fallait manger et marchait dans le jardin quand l'heure était venue de faire la promenade. Elle se sentait en paix dans l'exécution de ce scénario découpé en séquences minuscules qui l'empêchaient de se remémorer le passé et de s'inquiéter de l'avenir. La fille d'Alphonse et de Blandine Leduc se trouvait, si cela se pouvait, mieux protégée au cloître qu'elle ne l'avait été au sein de sa famille. Toutes ces petites humiliations quotidiennes qu'elle subissait sans broncher en suivant des directives stupides et futiles valaient encore mieux que l'humiliation suprême qu'elle avait essuyée un an plus tôt. Elle était demeurée tellement honteuse de cette rebuffade qu'elle se sentait toujours l'obligation d'expier cet aveu. Somme toute, elle avait voulu voler à Dieu le don que Gérald Langevin Lui avait fait de sa personne. Ce n'était pas rien. Désormais, il était juste qu'elle expie son arrogance envers le Ciel. Dans ce cloître où elle s'était elle-même enfermée, elle continuerait à trouver à la fois un refuge contre les tentations qui viendraient du dehors et un lieu de supplice qui lui permettrait de réparer sa faute.

Parfois, à la fin du repas qui se consommait en silence, Évelyne se prenait à rêver. Une multitude de souvenirs remontait au bord de sa mémoire. Elle se rappelait avec attendrissement des moments de pur bonheur au milieu des siens, ces soirées débordantes de chaleur humaine : elle, assise avec ses frères et soeurs sur les marches de l'escalier d'où l'on voyait tout ce qui se passait dans la grande cuisine-salle à manger ; elle, dans un geste magnanime, cédant sa chaise aux voisins venus regarder à la télé « La Soirée du hockey » ou bien « La Famille Plouffe ». Au cours de ces soirées, elle ne désirait rien d'autre que de savourer, au-delà du spectacle télévisé qui la laissait profondément satisfaite, le sentiment de se découvrir tellement bonne en compagnie de gens heureux. En ce temps-là, il lui semblait qu'elle méritait moins de reconnaissance de la part d'autrui, alors qu'elle en récoltait davantage. Mais soudain, quelqu'un avait fait irruption dans sa vie, entraînant le naufrage. Comment son existence, jusque-là si limpide, avait-elle pu tourner sans dessus-dessous, chavirer telle une vieille chaloupe qui prend l'eau ?

Et puis, comme toujours au milieu de ses rêveries, la cloche venait rappeler à l'ordre Soeur Évelyne-de-la-Sainte-Résolution. La succession des actions à accomplir, des prières à réciter, des allées du jardin à parcourir la protégeait contre la mélancolie. Elle bénissait presque la routine immuable qui la préservait d'une situation pire encore : l'absence de routine.

Pendant qu'elle se vidait le cœur, la dame ne pleurait plus ; elle se limitait à laisser s'échapper de temps à autre un soupir qu'elle n'arrivait pas à endiguer. Moi, je me réjouissais de pouvoir contribuer à son apaisement, malgré que je ne voyais pas ce que j'avais fait pour y parvenir. Surtout, j'avais l'impression qu'à travers son histoire, elle déversait sur moi une richesse : le film d'une époque que j'avais moi-même traversée sans m'en rendre compte.

Les parents de Sœur Évelyne-de-la-Sainte-Résolution avaient obtenu la permission de rendre visite à leur fille une fois tous les six mois.

Le jour marqué au calendrier, Alphonse et Blandine Leduc se rendaient donc à Montréal et pénétraient, le cœur serré, dans cet endroit tellement particulier. On y parlait à voix étouffée, on s'y déplaçait à pas feutrés, on y respirait un air calculé à l'avance, pas une bouffée de trop, tout juste la quantité qu'il fallait pour survivre.

Il y avait des fougères disposées un peu partout sur des demi-colonnes qui les surélevaient et les mettaient en évidence. Pas de fleurs! Non! Cela aurait rompu la sévérité de l'ambiance et par conséquent, de l'accueil. On n'entrait pas dans ce lieu pour s'amuser, c'était clair, mais plutôt pour demander à Dieu ce qu'Il exigeait de soi à la seconde présente. Après tout, vivaient là des femmes qui s'étaient données à Lui et on ne plaisantait pas avec ces choses-là.

Lors de cette première visite, monsieur et madame Leduc s'étaient sentis meurtris. Ils n'avaient pas mis au monde une belle fille comme Évelyne pour la voir se flétrir derrière une grille. Ils ne pouvaient s'empêcher de rêver aux petits-enfants qu'elle leur aurait donnés si seulement elle était demeurée parmi son monde. Mais non! Elle avait voulu s'enfermer! Cette fantaisie macabre faisait partie des extravagances de son époque, il faut croire.

Au cours des six premières visites, ce qui représentait trois années de leur vie, les conversations entre Évelyne et ses parents se limitaient à des échanges de nouvelles que la religieuse réclamait et qu'elle appréciait au plus haut point. Les enfants grandissaient. Chaque année, l'un des jeunes frères et sœurs d'Évelyne atteignait l'âge d'entrer à l'école secondaire tandis que les plus âgés terminaient leur cours. Ils réussissaient bien en classe et devenaient de plus en plus espiègles à la maison. Ils demeuraient toujours aussi irrespectueux des traditions.

À l'extérieur de la famille, il se passait dans les paroisses des transformations fulgurantes. Le gouvernement s'était mis en marche en vue de nationaliser les coopératives productrices d'électricité, parsemées sur le territoire du Québec, et les onze compagnies privées qui effectuaient un travail similaire pour les fusionner avec Hydro-Québec, qui existait déjà à Montréal seulement. Le tout forma une seule et même compagnie, gigantesque et puissante, qui devint la plus grande productrice d'hydroélectricité en Amérique du nord.

Au début, les citoyens accueillirent le projet avec appréhension. Ils en avaient, de l'électricité ; pourquoi vouloir tout chambarder et les forcer à payer une facture qui viendrait de la ville ?

Cela allait assurément coûter plus cher, tout en leur fournissant la même chose qu'ils avaient déjà. C'est à ce moment qu'un ancien journaliste devenu ministre des Ressources naturelles, un dénommé René Lévesque, celui-là même qu'Évelyne avait vu pendant son adolescence commenter l'actualité à la télévision, se mit à parcourir les municipalités des différentes régions en vue d'expliquer le plan gouvernemental et le bien fondé de sa mise en œuvre. C'était une projection vers l'avenir démontrant que les petites compagnies actuelles n'arriveraient jamais à produire suffisamment d'énergie pour permettre à de nouvelles industries de venir s'installer chez nous, et aux citoyens d'ici d'en créer d'autres qui nous appartiendraient vraiment. Seule la nationalisation de l'électricité nous permettrait de devenir «Maîtres chez nous», selon le slogan du parti que le ministre représentait.

La population, une fois renseignée, s'est déclarée d'accord avec le projet et, pendant quelque temps, on n'a plus parlé que d'Hydro-Québec, de ses barrages, des pannes moins fréquentes et des immenses possibilités d'avenir que cette compagnie représentait.

Le père et la mère d'Évelyne en avaient long à raconter sur leur nouvelle époque. Ce qui leur paraissait s'avérer une sorte de démonstration des effets pervers de la Révolution tranquille traçait sur leur visage de nouveaux sillons. Sœur Évelyne-de-la-Sainte-Résolution constatait que, depuis son départ de la maison, ses parents vieillissaient plus rapidement qu'avant qu'elle prenne le voile. Elle n'en était pas surprise après avoir entendu la narration de leurs récents soucis.

On avait créé des écoles polyvalentes dans toutes les villes aptes à desservir les municipalités rurales des diverses régions. Dès l'âge de douze ans, les jeunes garçons et filles étaient cueillis chaque matin dans leur famille par des autobus qui les emmenaient à des kilomètres de leur foyer. Ils ne rentraient que tard en fin d'après-midi affamés et impatients. Tout le long du jour, ils s'étaient déplacés d'une classe à l'autre, changeant de professeur avec chaque matière au programme. Évidemment, les plus futés profitaient de ces déplacements pour s'échapper quelques instants dans les interminables couloirs, oubliant parfois de rentrer en classe à l'heure dite. Les Leduc père et mère recevaient alors un billet de réprimande concernant leur fils cadet, note qui était allée une fois jusqu'à une convocation des parents au bureau du directeur. Cette manière de se faire remarquer ne figurait pas dans les habitudes des Leduc accoutumés de briller par leurs louables initiatives. Alphonse en souffrait véritablement et demandait à sa religieuse de prier pour sa famille. Alors, Évelyne se sentait mal à l'aise; elle remerciait Dieu d'avoir placé une cloison grillagée entre elle et ses parents. Il ne fallait pas que ce père si respectable et cette mère si bonne soient frappés en plein cœur par la révélation que leur fille s'avérait plus comédienne que vertueuse; cela les aurait achevés à coup sûr.

La septième visite de monsieur et madame Leduc au couvent fut plus marquante que les autres. Les parents Leduc avaient résolu de se vider le cœur et de peindre un tableau réaliste, bien que peu reluisant, de leur famille. Ils avaient débuté en dressant l'analyse de la décadence des mœurs, généralisée à travers cités et villages du Québec. Selon eux, en mélangeant les masses urbaines et rurales, les provocateurs de changement avaient démonté maille par maille le tissu social de la communauté entière. «Ils ont pris des gens habitués à vivre près de la terre et à perpétuer les valeurs qui auraient dû demeurer les nôtres, pour en faire des êtres sans valeurs aucunes», disaient les parents d'Évelyne. Ils les avaient transplantés dès le début de l'adolescence parmi de jeunes citadins écervelés qui n'avaient de racines nulle part. Chez les tenants du renouveau, les adultes avaient incité les enfants à parler avec assurance sans avoir pris le temps de leur montrer à réfléchir. Ils les avaient laissés trop libres dans leur tête et dans leurs actions. Si bien qu'à l'âge de treize ans, toujours selon Alphonse Leduc, les adolescents ne pensaient qu'à tenter de nouvelles expériences, à découvrir le monde et à critiquer la génération de leurs parents.

Après avoir écouté la description de ce tableau, Évelyne demanda à son père comment cette nouvelle mentalité se manifestait concrètement. C'est la mère qui avait répondu, les yeux agrandis par l'inquiétude.

— À seize ans, plus un jeune de par chez nous accepte d'aller à la messe du dimanche. Dans le village, à mesure que les plus vieux meurent, les églises se vident.

— C'est la même chose pour Alexandre et pour Jocelyn?

— Pas seulement les garçons, répondit son père, tes deux petites sœurs, Pierrette et Lucie, ne mettent plus les pieds à l'église non plus.

— Vous ne pouvez pas les forcer à y aller?

— Les sept nous répondent : «Ce qui n'est pas bon pour les autres n'est pas meilleur pour nous.»

Les parents avaient pris congé de leur fille en ces mots : «Y'a plus rien que toi sur qui on peut compter ; prie pour ta famille !»

Du fond de sa cellule, au lieu de prier avant de s'endormir, Évelyne Leduc repensait avec une fierté certaine à l'émancipation de cette nation dont elle faisait partie.

Lors des visites subséquentes, Sœur Évelyne-de-la-Sainte-Résolution n'a pas manqué de poser à ses parents plusieurs questions touchant le degré d'avancement de l'émancipation du Québec. Alphonse et Blandine ont répondu par un autre slogan du gouvernement: «Qui s'instruit s'enrichit, c'est le nouveau mot d'ordre».

En termes clairs, cela voulait dire que le gouvernement souhaitait que la population entière demeure aux études au moins jusqu'à l'obtention du diplôme de niveau Secondaire V, qui attestait de onze ans de scolarité réussie. Pour Alphonse Leduc et pour de nombreux autres pères en milieux ruraux, cette exigence imposait de lourds sacrifices aux parents qui voyaient leur ferme désertée par de jeunes garçons de quinze ou seize ans. Laisser ainsi tant d'énergie se perdre en acquisition de connaissances inutiles, tandis que le pauvre père s'échinait seul à faire fructifier les semences, cela devenait un spectacle intolérable à contempler, une démonstration d'égoïsme qui n'aurait jamais dû apparaître, pensait Alphonse. Et le gouvernement en était responsable.

— À la limite, on peut comprendre que plus personne perde son temps à cultiver des pommes de terre ou du maïs à "pop corn"; c'est bon pour…Tiens! C'est bon pour ceux qui vivent dans les communes.

Évelyne demanda ce que ses parents entendaient par ce terme. Cette fois, c'est Blandine qui expliqua :

— Des gens de la ville ont commencé à se rendre compte que la vie à la campagne est une richesse. Ils ont fait des propositions d'achat d'un lopin de terre ici et là à des cultivateurs des environs. Pour arriver à joindre les deux bouts, ils se réunissent à trois, quatre, six couples, avec leurs enfants. Tout est mis en commun. Les adultes sont responsables de tous les enfants, indistinctement des liens du sang, et tous sont responsables aussi de l'enseignement des matières académiques parce que les jeunes vont pas à l'école.

— Eh non! renchérit le père, indigné, ces gens-là veulent vivre autrement des autres, même s'il faut tout virer à l'envers pour y arriver.

Évelyne se demandait quel résultat donnait une telle initiative.

— Personne le sait, continua le père. Ce qu'on pense, c'est que, s'il y a plus moyen de dire à qui la faute quand quelque chose va de travers, on peut s'attendre à ce que ça continue à mal aller.

Évelyne restait perplexe à la suite de ces conversations. De pareils changements des mentalités piquaient sa curiosité tout en l'inquiétant. Elle aurait aimé voir agir ces gens aux opinions bizarres, et peut-être aussi discuter avec eux. Elle n'était pas certaine, cependant, de pouvoir affronter un groupe de personnes s'étant mises d'accord sur tout, jusqu'à engager dans leur aventure leurs propres enfants. Elle avait pour eux une certaine admiration : « Il faut se sentir drôlement sûr de ce qu'on entreprend pour y engloutir la génération montante sans tenir compte de l'exemple de ses parents.»

Évelyne Leduc se disait qu'elle ne prierait pas pour ces gens, car elle ne saurait pas en quels termes les recommander à Dieu.

Six autres mois s'étaient écoulés, parsemés de lettres qui semaient l'étonnement en même temps que la crainte.

«On n'a plus de curé, écrivait la mère d'Évelyne. Celui qui vient dire la messe part de deux paroisses plus loin et il en a six à desservir entre le samedi midi et le dimanche soir.»

«Tous les autres aux alentours ont défroqué, écrivait une main plus robuste». Et le père de continuer: «J'ai eu une grosse surprise en entrant à l'hôpital où ton oncle Arsène est soigné. Les corridors sont pleins de belles petites poulettes qui circulent d'une chambre à l'autre; elles ont pris la place des religieuses qui ne sont plus propriétaires des hôpitaux. On se demande où elles sont passées. C'est maintenant le gouvernement qui administre les Services de santé. Toi, ma fille, tu risques pas qu'une pareille malchance t'arrive; enfermée dans un cloître, ton avenir est assuré. »

« Défroqué ! » Évelyne était restée accrochée à ce mot. Cela voulait bien dire, ne plus être prêtre, avoir laissé tomber la soutane !

Tandis qu'elle me racontait cet épisode, le visage de la jeune femme changeait du tout au tout. Les larmes et les soupirs avaient fait place au sourire. Des images agréables défilaient devant ses yeux.

« J'ai entrevu Gérald qui enlevait son col romain et remettait l'habit de travail qu'il portait la première fois où je l'ai regardé comme un homme. Une série de brèves images qui ressemblaient à une séquence de cinéma m'a fait entrevoir un avenir plein de bonheur. Tout de suite après, je suis retombée sur la terre ferme. Il était curé et j'étais religieuse, cloîtrée. »

Son discours s'est interrompu à nouveau pour permettre au trop plein de chagrin de se déverser dans les abîmes du désespoir. Et elle a repris :

« C'était une vocation trop profondément ancrée pour que Gérald l'abandonne jamais. Je m'étais placée en concurrence avec Dieu et j'avais perdu la bataille. À quoi bon revenir là-dessus. »

Moi, j'aurais voulu avoir quarante ans pour pouvoir lui poser les bonnes questions. Les questions qui l'auraient obligée à sortir de son mélo et à se demander quoi faire. Mais du haut de mes quinze ou seize ans, je ne pouvais que me demander quoi dire ; et rien ne me venait à l'esprit. Alors, je me suis tue. Elle a continué à parler et j'ai continué à écouter.

Le paragraphe écrit de la main de son père avait valu à Évelyne une réprimande de la part de la Supérieure du couvent : « Attention, ma Fille, avait-elle dit en lui remettant sa lettre décachetée ; votre père semble afficher une attitude irrespectueuse à l'égard des communautés religieuses et même, se moquer du traitement injuste qu'elles ont subi; priez pour elles et pour vos parents aussi.»

« Je n'y manquerai pas, ma Mère, avait répondu Sœur Évelyne-de-la-Sainte-Résolution, docile comme un agneau.»

Une nouvelle visite de monsieur et de madame Leduc a porté le coup fatal à la prétendue vocation de Sœur Évelyne-de-la-Sainte-Résolution. De derrière sa grille, la religieuse se sentait moins embarrassée d'interroger ses parents sur le sujet qui, à présent, l'obsédait.

Après les nouvelles des frères et sœurs, des cousins et autres membres de la famille éloignée, Alphonse Leduc commença à se plaindre des dernières transformations que leur milieu subissait. Les voisins venaient de vendre leur ferme à des Allemands qui ne parlaient pas français et qui n'étaient pas catholiques. Curieusement, eux n'avaient pas abandonné leur religion et ne semblaient éprouver aucune difficulté à emmener leurs adolescents aux offices religieux. Tous les dimanches, la famille se rendait, comme le faisaient les autres Allemands nouvellement installés dans la région, au temple protestant érigé dans le village voisin. Alphonse Leduc y voyait une raison supplémentaire de se désoler : « On avait déjà perdu des terres, passées aux mains des Belges et des Suisses, mais au moins, ils parlent français. À partir de cette année, si on veut parler aux voisins, il faut le faire avec le dictionnaire anglais à la main ; ces gens-là se donnent même pas la peine d'apprendre notre langue. » Évelyne trouvait cela dommage sans vraiment s'en préoccuper ; ce n'était pas ce qui lui importait pour le moment. N'y tenant plus, elle demanda directement à ses parents ce qu'il advenait de la situation des prêtres du diocèse. « Ça continue à défroquer ! lança la mère avec indignation. » « Et l'abbé Gérald Langevin ? demanda encore Évelyne, dans un souffle. » « Défroqué, lui aussi, répondit Alphonse Leduc, ça fait au moins un an ».

Sœur Évelyne-de-la-Sainte-Résolution s'est mise à rire et à pleurer en même temps, sans pouvoir maîtriser sa réaction. Elle en était gênée au point de prendre la fuite, laissant seuls son père et sa mère, sans aucune forme de salutations. Blandine et Alphonse se regardèrent, essayant de comprendre : « Ma grand foi du bon Dieu, notre fille est en train de capoter, conclut le père ».

⸝

Évelyne Leduc courut s'enfermer dans son petit repaire. « Défroqué ! Gérald Langevin, défroqué ! ». Elle en avait les jambes paralysées. Elle s'assit au bord du lit pour encaisser la surprise sans s'écrouler sur le plancher de bois dur laissé à nu. « Libre ! se dit-elle. »

Elle commença à savourer le bonheur qui se présentait de nouveau, à portée de main. Plus aucun obstacle ne venait s'interposer entre elle et lui. Son cœur se remit à battre au même rythme auquel il battait à la minute des aveux.

Oubliée l'humiliation ; finie la souffrance. Sœur Évelyne-de-la-Sainte-Résolution n'existait plus. À sa place, une jeune femme à la tête et au cœur gonflés d'espoir élaborait déjà des projets enrobés d'un volumineux questionnement.

« Il va falloir que je le retrouve. Où est-ce qu'il loge maintenant ? Comment gagne-t-il sa vie ? Est-ce qu'il sait que je suis cloîtrée ? Comment est-ce que je vais faire pour me sortir de là ? Telle que je suis, je ne suis pas présentable dans le monde. »

Évelyne sentit le besoin de vérifier son apparence. Il n'y avait pas de miroir dans sa cellule. Les religieuses ne disposaient pas de cet objet vain, constituant une incitation à tomber dans les péchés d'orgueil et de luxure. Elles y avaient accès cinq minutes par jour, après avoir pris leur bain et s'être rhabillées. Évelyne se rappela avoir vu un reflet par la fente de la porte du petit cabinet de toilette réservé à la directrice du couvent. Elle se précipita dans le cabinet et ce qu'elle vit dans le miroir lui donna des frissons d'horreur. Elle enleva son voile noir et la cornette blanche qui s'y trouvait solidement fixée. Avec cette chevelure rognée, elle se jugea repoussante. Une telle coiffure ne pouvait que faire fuir un homme.

« La première chose que je vais devoir faire en sortant sera de passer chez un bon coiffeur, se dit-elle. »

La cloche sonna, rappelant à toutes qu'il était l'heure de consommer les nourritures terrestres. Évelyne constata qu'elle n'avait pas faim. Il lui restait une alternative: se cacher pendant la durée du repas et faire éclater tout de suite le scandale, ou bien descendre comme si de rien n'était et faire semblant de manger. Elle opta pour le second choix.

Au réfectoire, les religieuses s'apprêtaient à se mettre à table. Comme d'habitude, chacune tirait sa chaise en la soulevant avec précaution, afin de ne pas rompre le silence, toujours de rigueur.

La Supérieure actionna le timbre disposé à sa droite, normalement destiné à avertir l'assistance qu'il convenait de prêter l'oreille, car Mère directrice était sur le point de prendre la parole. Pas un décibel ne s'ajouta au silence qui régnait déjà. La coutume était de lire à voix haute un passage de la *Vie des saints*, dans le but de prémunir les religieuses des mauvaises pensées qui auraient pu les assaillir pendant le repas, et les faire dévier du droit chemin.

« Ça y est ! Elle m'a vue entrer en retard. Elle va m'attraper devant tout le monde, se dit Évelyne en rougissant. »

— Aujourd'hui, nous allons écouter ensemble la lecture d'un passage de la vie exemplaire de la Grande Thérèse d'Avila. L'honneur incombe à Sœur Évelyne-de-la-Sainte-Résolution de nous inciter à suivre ce modèle de droiture. Recueillons-nous, mes Filles.

Évelyne passa du rouge moyen à l'écarlate. (C'est du moins ce qu'il lui sembla, selon le récit qu'elle m'en a fait). Tandis que l'adjointe de la directrice apportait le livre à Évelyne, cette dernière tenta de se lever. Ses jambes lui firent défaut et elle s'écroula sous la table. Peu de temps après avoir repris conscience, elle ne se souvenait toujours pas de ce qui s'était passé durant les minutes qui avaient précédé et suivi sa chute. On la conduisit à l'infirmerie.

Pour ma part, j'imagine le caquetage des voix claires des religieuses qui, oubliant la règle et le silence, se demandaient quelles circonstances extraordinaires venaient perturber la quiétude d'un système claustral aussi bien implanté. Pour ces religieuses à la langue en cavale, cette débandade devait ressembler à la jouissance de commettre un péché, accompagnée de toutes les garanties qu'elles devenaient autorisées à le faire impunément.

Une fois sortie de l'infirmerie, Évelyne fut convoquée au bureau de Mère directrice.

— Ma Fille, reprenez-vous et faites-moi le récit des obstacles qui se reflètent dans votre comportement de ces derniers jours.

Un silence chargé de honte, de reproches, d'entêtement et de curiosité malsaine s'installa entre les deux femmes.

— Allons, ma Fille! Notre-Seigneur-Jésus-Christ a souffert et Il est mort sur la croix pour vous et pour expier tous les péchés du monde. Ne craignez pas de me confesser les vôtres.

Le silence se réinstalla.

— Le bon Dieu est toute bonté, toute compassion, toute rédemption; Il est prêt à vous pardonner si vous implorez sa miséricorde. Priez le Saint-Esprit qu'il vous inonde de ses lumières. Je vais vous envoyer votre directeur de conscience; à travers lui, Dieu vous éclairera.

— Ça suffit! Arrêtez de me traiter comme une enfant.

— Mais, ma pauvre Fille, vous êtes une enfant ; une enfant de Dieu que le démon a réussi à faire tomber dans ses filets !

— Gardez vos airs de grandeur pour vous et pour celles qui habitent encore ici. Moi, je ramasse mes affaires ; je serai partie avant la fin de la journée.

— Quelle insolence, ma Fille ! Dieu vous le pardonnera si vous vous repentez.

— Je vous ai dit : « Assez ! »

— Ho ! Mais on ne sort pas d'ici comme on sort du cinéma quand le film est fini. Vous êtes entrée sans dot. Vous avez été acceptée quand même parce que vous étiez pauvre et bien intentionnée, nous semblait-il. Vous avez été nourrie, logée et habillée gratuitement durant des années. Qui va payer pour cela ? Pas vous, assurément. Votre père devra s'en charger.

— Non ! Pas mon père, je vous en supplie. Mes frères et sœurs plus jeunes que moi comptent sur lui.

— Avez-vous pensé à lui quand vous avez parlé comme vous l'avez fait ?

— Je vais travailler ; je vous rembourserai moi-même.

— C'est à lui qu'il faudra expliquer cela. Il vous apprendra ce qu'il compte faire quand il aura reçu la facture de Mère Économe. Quant à moi, je continuerai à prier pour le salut de votre âme. Vous pouvez disposer.

Évelyne me racontait cet épisode avec une expression butée, chargée de rancune, l'air qu'elle devait avoir en montant dans sa cellule pour faire ses bagages.

Sa petite valise se trouvait au galetas depuis huit ans. Elle manqua de courage devant la nécessité de demander qu'on la lui apporte. Elle prit la couverture de laine tissée au métier artisanal, qui venait de sa grand-mère et que sa mère lui avait donnée le jour où elle avait quitté son village. Elle y entassa pêle-mêle quelques menus objets. Elle eut un mouvement de recul devant ses sous-vêtements qu'elle devait obligatoirement inclure dans son baluchon, au moins en quantité suffisante pour deux ou trois jours. Elle jeta dans la corbeille à rebuts les trois lisières de tissu blanc destinées à presser les seins contre le corps de façon à paraître n'en pas avoir. Elle ouvrit sa bible, en détacha la feuille de plastique qui la recouvrait; elle y trouva la photo de Gérald Langevin qu'elle avait cachée le jour de son arrivée au cloître. Elle la plaça sur la couverture dont elle ramena les quatre coins au centre, les attacha ensemble et s'en fit une poignée. Elle était prête à quitter le couvent. En sortant, la portière lui donna un dollar en monnaie « Pour téléphoner, lui dit-elle. »

É velyne ne savait pas où aller. Elle ne voulait pas arriver chez ses parents en pleine nuit sans les avoir prévenus et sans leur avoir laissé le temps de se faire à l'idée de son retour. Elle pensa à sa tante Juliette qu'elle n'avait pas revue depuis son entrée au cloître. Elle repéra une cabine téléphonique et remarqua que les tarifs avaient changé; de dix cents, ils étaient passés à vingt-cinq cents pour un appel local. Au bout du fil, sa tante lui sembla heureuse d'entendre sa voix et inquiète de la savoir dehors tard le soir, sans logement pour dormir. Évelyne entreprit d'expliquer, sans parler de Gérald, comment elle était soudainement passée de Sœur Évelyne-de-la-Sainte-Résolution à Évelyne Leduc, femme ordinaire entre toutes.

Juliette l'invita à rester chez elle jusqu'au lendemain et lui indiqua l'endroit où prendre l'autobus pour s'y rendre. Ce ne fut pas difficile. Il restait exactement les soixante-quinze cents qu'il lui fallait pour payer le trajet. En descendant au coin de la rue, elle reconnut la maison de sa tante et elle en ressentit une grande joie. Bientôt, il ne lui serait plus nécessaire de jouer la comédie. Sa tante lui montra celle des chambres qui serait sienne et l'invita à y déposer son... paquet.

— Aimerais-tu prendre une douche avant de manger? Lui demanda sa tante. Je vais te prêter un pyjama si tu n'aimes pas tes vêtements de sœur.

Quel soulagement! Elle n'avait rien sollicité et tout lui tombait du ciel. Elle défit le nœud de son baluchon. Le premier objet qu'elle trouva fut la photo de Gérald.

« Il va falloir que je sois patiente et compréhensive avec lui. Je lui pardonne à l'avance toutes ses maladresses futures. »

Après, tout alla très vite. Le père et la mère d'Évelyne vinrent la chercher chez Juliette, ce qui donna lieu à l'une des rares réunions de famille entre «ceux de la campagne et ceux de la ville».

On se remémora le bon vieux temps, cette époque où les plus jeunes dormaient à quatre dans un même lit, afin de laisser leur place à Juliette et à son mari en visite chez eux. Après la mort de ce dernier, Juliette n'avait plus revu la famille de son époux. Elle avait noué des liens avec un nouveau groupe, y avait trouvé des amis et jouait aux cartes avec eux très régulièrement. Elle n'avait plus éprouvé le besoin de ressasser les événements du passé. Elle n'avait pas «refait sa vie» ainsi que l'exprimaient Blandine et Alphonse, mais elle s'était créé un réseau social qui meublait ses nombreux loisirs. Elle invita Évelyne à habiter chez elle, si jamais celle-ci décidait de venir travailler à Montréal.

«Travailler! Évidemment, il fallait y penser. Comment allait-elle vivre autrement? Certainement pas aux crochets de ses parents.»

Une fois rentré à domicile, le trio père-mère-fille retrouva l'ensemble de la famille. Et la fête recommença, plus bruyante et plus enjouée qu'à Montréal, organisée par le frère puîné et la sœur cadette d'Évelyne. Ce petit monde délirait de contentement et ne cachait pas son opinion sur l'étendue de l'erreur que, selon eux tous, Évelyne avait commise. Cette dernière apprécia que l'on ne lui demande pas d'explications sur ce triste départ et ce retour inattendu. Pour eux, elle était revenue et c'est tout ce qui comptait.

L'Étape suivante s'avérait la plus difficile à franchir : retrouver la trace de Gérald Langevin.

Il restait à Évelyne un long, très long périple à parcourir avant de déguster le fruit de sa quête d'amour. Chaque matin, en interrogeant son miroir, elle constatait que sa chevelure avait quelque peu repris de sa vigueur d'antan. Ses cheveux, en gagnant un millimètre ou deux, la rendaient plus présentable, à la condition de leur consacrer un temps considérable. Bientôt, elle irait confier ce trésor à un coiffeur habile qui aurait intérêt à calculer ses coups de ciseaux avant de s'aventurer à taillader cette masse. Elle se désolait de se savoir si peu maîtresse de son destin, à la merci d'un geste maladroit qui lui ferait perdre toute confiance en elle-même.

Tandis qu'elle me confiait ses inquiétudes, Évelyne Leduc enroulait autour de son index un pauvre petit bout de mèche, symbole de ses espoirs fragiles.

Sa première démarche fut de se rendre à l'évêché. C'était bien le lieu de résidence de l'Évêque qui avait rappelé Gérald Langevin auprès de lui, en vue de le soustraire aux tentations qu'Évelyne représentait. Le prélat devait à tout le moins s'être tenu au courant des allées et venues de son protégé au cours de ces dernières années. La secrétaire des temps passés lui apprit que Monseigneur était décédé avant de voir les gardiens de ses ouailles laisser tomber la soutane. « Dans les années qui ont précédé sa mort, il ne suffisait plus à l'évêque de compter les brebis égarées, dit l'ex-secrétaire, il lui fallait encore chercher des moyens de retenir les bergers. »

La dame, elle-même âgée, enviait le sort de son ex-patron : « Il a eu beaucoup de chance, le saint homme, de mourir avant la débâcle ; il n'y aurait pas survécu de toute façon. »

— Il n'existerait pas, par hasard, un registre de ceux qui ont quitté la prêtrise ? Une adresse, un numéro de téléphone de leur dernier lieu de résidence en tant que prêtre, ou de la municipalité où ils se sont installés par la suite ?

— Je ne crois pas, répondit la dame.

— Il me semble qu'on ne peut pas se dire responsable de centaines de prêtres et puis, leur tourner le dos sans plus jamais s'en occuper.

— Il ne faut pas oublier que ce sont les prêtres qui ont tourné le dos à l'Église et non l'inverse.

— Et l'évêque, selon vous, ne se serait plus du tout soucié de ses bergers devenu eux aussi, à ses yeux, des brebis égarées ?

— On ne fera pas ici le procès d'un défunt. C'est un ancien prêtre que vous voulez trouver ? Eh bien ! Je ne peux pas vous aider. Cherchez-le !

Évelyne, décontenancée par la dureté de cette remarque, sortit en remerciant du bout des lèvres. Elle se mit à réfléchir à l'état du monde dans lequel elle se débattait. Il s'en était passé des événements merveilleux aux yeux des uns, inacceptables aux yeux des autres, selon le point de vue où chacun se plaçait. D'un côté, on avait assisté au développement du Québec, autant économique que social; il devenait facile de trouver du travail, d'étudier en vue de se préparer à une carrière enviable, d'être traité gratuitement quelle que soit sa fortune, de posséder plus de biens matériels que jamais auparavant. Mais selon le point de vue des autres, les églises se vidaient, les prêtres prenaient la fuite, les jeunes couples vivaient en union libre, et maintenant, on parlait de communes. Des hommes et des femmes avaient résolu de vivre ensemble pêle-mêle, mélangeant leurs enfants, tous les parents désormais responsables de tous les enfants sans distinction des liens filiaux.

« Où allons-nous échouer ? se demandait Évelyne ».

Et la jeune dame se redressa comme si une tige de métal l'avait traversée de la tête aux pieds, lui installant un pivot vertical qui lui aurait permis de se tenir debout.

«Mais ce n'est pas le moment de me demander où le monde s'en va, ajouta la jeune femme; j'ai ma propre vie à organiser et j'ai déjà trop perdu de temps».

La dame se rassit dans l'herbe pour continuer son récit. Elle ne semblait pas douter que je demeurerais à l'écoute indéfiniment.

«Ce que je vous raconte là, c'est ce que je pensais en sortant de l'évêché pour me rendre à Sainte-Cunégonde. Je croyais que Gérald avait dû avoir des amis du village (peut-être le curé actuel) qui auraient su où il aurait circulé récemment. Ce que les gens savaient m'a permis d'avancer un peu dans mes recherches, malgré que l'information la plus récente que j'aie obtenue remontait à au moins trois ans. L'abbé Langevin s'était trouvé un emploi de professeur de mathématiques à l'école polyvalente régionale. Je me suis dit qu'à ce moment même, il était probablement le professeur de l'un ou de plusieurs de mes frères et sœurs, et que j'aurais pu lui glisser un message dans leur sac d'école. Mais rien n'est jamais aussi simple.»

Le soir même, Évelyne a commencé à poser aux siens, sous forme de sondage, une série de questions dont la première s'énonçait ainsi : «Votre professeur de maths est-il un homme ou une femme?» Les trois qui avaient répondu *un homme* eurent droit à la suite des questions qu'Évelyne s'était préparées : «Comment s'appelle-t-il? Est-ce qu'il habite près de l'école? Est-il gentil avec ses élèves? Pensez-vous que c'est un bon professeur?»

Évelyne pensait s'être trompée de piste quand elle entendit de la bouche de son jeune frère : «Gérald Langevin». Elle reçut un coup au cœur et crut qu'elle allait s'évanouir. Elle en oublia ses autres questions. Plus que quelques kilomètres et elle touchait le but. Elle ne regrettait plus aucun des efforts qu'elle avait déployés. Comme elle serait récompensée de ses peines! Et combien heureuse elle deviendrait le jour où elle le reverrait enfin!

Évelyne quitta vivement le statut de pigiste en secrétariat, petits contrats épars qui lui avaient permis de gagner très modestement sa vie depuis sa sortie du couvent. Elle postula à un emploi d'assistante du registraire à la polyvalente qui, à présent, la captivait. Elle fut acceptée et affectée aux dossiers des étudiants du deuxième cycle. Elle avait un frère en Secondaire V et une sœur en Secondaire lV; elle se dit qu'elle trouverait bien le moyen d'engager la conversation avec Gérald si ce dernier ne lui en fournissait pas l'occasion.

Le prétexte entra tout droit dans son bureau dès le mardi matin. Un étudiant se présenta au registrariat, un document à la main, l'air arrogant et sûr de lui. Il tendit son message à Évelyne qui l'examina avant d'en comprendre le contenu. C'était une dispense des cours pour deux jours consécutifs la semaine suivante.

Qui est ton professeur de maths? demanda Évelyne.

— Gérald Langevin, répondit l'étudiant d'un ton bourru.

Le même coup de pic m'a traversé le cœur, m'a dit Évelyne.

— Tu sais pourquoi cette dispense t'a été accordée?

— Ben oui ! Vous, vous le savez pas ?

— Je suis arrivée à ce poste hier matin, je n'ai pas eu le temps de mémoriser tous les dossiers, mais je sens que tu vas m'en apprendre davantage sur le sujet.

— C'est parce que je suis le meilleur joueur de foot de toute l'école, dit l'étudiant le torse gonflé d'orgueil. Si je suis absent au tournoi, c'est sûr qu'ils vont perdre.

— Quand tu dis « ils », tu parles de ton équipe ?

— Il me semble que c'est évident !

— Et quel est le nom de cette équipe ?

— Les Maelstrom de l'univers.

— Oh ! Oh ! Tout un programme ! Tu sais ce que ça veut dire ?

— Euh !... Une grosse tempête. Je peux-tu m'en aller ? Dit-il avec impatience.

— Mais oui ! Je te retiens et tu as probablement un autre cours qui commence à l'instant.

— Non, mais j'ai des choses intéressantes à faire.

«C'était mon premier contact avec la nouvelle génération, mise à part ma famille, me raconta la dame.»

Et elle, de poursuivre sa narration sans se rendre compte du temps qui filait.

⟶⟵

«Je le tenais, mon moyen de renouer avec Gérald sans avoir l'air de lui courir après. J'ai sorti du classeur le dossier de l'étudiant qui venait de quitter mon bureau et j'ai trouvé dans la liste des employés le numéro de téléphone du professeur Gérald Langevin. Au bout du fil, j'ai tout de suite reconnu sa voix. Lui n'a pas semblé me reconnaître. J'ai décidé de garder l'anonymat et lui ai demandé de passer au registrariat pour discuter d'un dossier qui me préoccupait. Il a proposé de passer à quinze heures trente, après son dernier cours.»

«Il avait changé. Quelques rides peuvent faire une grande différence sur un visage. Des tempes grises aussi, vous donnent à comprendre que les années ont passé, si d'aventure vous l'aviez oublié. De toute manière, s'il en avait été autrement, j'aurais été choquée d'avoir à constater qu'il n'avait pas vieilli, tandis que moi…»

Elle a recommencé à tourner sa mèche autour de son index en poursuivant sa narration.

« Il est entré dans mon bureau en déclinant son nom et en me tendant la main. »

— Évelyne Leduc, lui dis-je en complétant son geste.

Il m'a regardée avec de grands yeux pleins de questions inachevées qui se bousculaient à travers son regard.

— La même Évelyne Leduc, m'a-t-il demandé ?

— La même, ou presque.

— Je te croyais au cloître.

— J'y ai été huit ans.

— Et puis ?

— Et puis… Voilà !… Comme toi.

— Alors tu sais ce qui s'est passé.

— Je sais que tu n'es plus prêtre, que je ne suis plus religieuse, et qu'on n'a pas le temps d'aller plus loin pour le moment.

— Oui. Tu as un dossier à me montrer ? Je te propose d'y jeter un coup d'œil tout de suite et que notre autre conversation se continue en dehors de l'école, ce soir ou un autre jour. Laisse voir !

— Tiens ! Soixante-douze absences cumulées depuis le début de l'année scolaire et il m'a apporté une dispense pour la semaine prochaine : deux jours consécutifs.

— Il ne peut pas s'en permettre autant et réussir dans ses matières académiques.

— Ça tombe surtout pendant les cours de maths ?

— La totalité a été amputée des maths, et plusieurs l'ont été d'autres cours à l'horaire les mêmes jours. Il aurait dû être inscrit à un programme allégé.

— Pourquoi est-ce que ça n'a pas été fait ?

— Il n'a pas voulu. Il se croyait bon en tout. Beaucoup trop bon pour alléger quoi que ce soit.

— Dommage ! Il est en voie d'échec dans presque toutes les matières.

— Veux-tu que je montre ça à mon patron, ou bien préfères-tu agir toi-même à un niveau plus élevé ?

— Plus haut ! C'est le fils du directeur de la polyvalente. Difficile de monter plus haut sans arriver à son père.

— Je suis trop nouvelle ici pour savoir ce qu'on peut faire de plus dans un cas semblable.

— Il est quatre heures cinq, on peut s'arracher les cheveux jusqu'à demain matin, ou bien on peut aller prendre un verre, ensuite, manger ensemble et après, on verra.

— J'aime beaucoup mieux ta deuxième proposition.

Tout a été tellement facile ! Il n'y avait plus aucun obstacle, comme si nous nous étions quittés les meilleurs amis du monde. Je flottais sur un nuage.

Au restaurant, pendant le deuxième apéro, il m'a dit, l'air contrit :

— Je te demande pardon de t'avoir repoussée quand tu t'es placée sur la sellette. Tu avais la tête sur le billot et j'ai laissé tomber le couperet ; c'est ignoble.

— Chut ! Chut ! Chut ! Je venais contrecarrer tes plans, des projets que tu prenais pour les plans de Dieu.

— J'ai continué encore longtemps à essayer de me prouver que j'avais eu raison.

— Les raisons que tu donnais me paraissaient valables. Qu'est-ce qui t'a fait changer d'idée ?

— La vue des autres, mes pairs que je croyais solides et qui ont fait faux bond à tour de rôle. En fin de compte, ils ne se souciaient pas de moi, ni de leurs autres amis. Ils se disaient : « Je perds mon temps à vouloir sauver des âmes qui ne veulent rien entendre, qui ne se donnent même plus la peine de venir m'écouter et qui me laissent parler tout seul. » La constatation s'appliquait à moi aussi. J'étais seul à continuer à penser comme avant et j'ai été le dernier de notre petit groupe à quitter la prêtrise. Finalement, le vent de changement a soufflé tellement fort qu'il a tout emporté.

— Comme celui qui nous a permis de nous connaître après l'ouragan… je veux dire de nous connaître à la manière dont un être humain apprend à en connaître un autre.

— Oui, mais moi, je voulais te fuir, et non pas apprendre à te connaître.

— Et aujourd'hui ?

— Il a coulé tant d'années sur ma pauvre carcasse que je me demande s'il est encore temps pour moi d'apprendre à connaître quelqu'un.

— Désabusé ?

— … Je sais pas quoi te répondre.

— Tu n'as jamais eu l'idée de venir faire un tour du côté des jardins du cloître, une fois dégagé de la prêtrise ?

— J'aurais plutôt pensé à m'en tenir loin. J'avais développé le réflexe de te percevoir comme une personne menaçante pour ma vocation, et cette perception-là n'est pas tombée en même temps que ma soutane.

— Dommage.

— Et puis, j'aurais eu tellement peur que tu me haïsses, que cette idée aurait suffi à me faire rebrousser chemin si j'avais fait un pas vers toi.

— Arrête ! Pas une minute je t'ai haï ! Seulement, je pensais à toi comme on caresse l'impossible en imagination. J'étais au couvent pour t'oublier, alors, penser à toi, c'était en quelque sorte travailler à l'encontre du but que je m'étais fixé, glisser dans l'absurde au fond.

— Et, qu'est-ce qui t'a fait sortir de ta coquille?

— C'est toi. Le jour où j'ai su que tu avais quitté le sacerdoce, je n'avais plus rien à faire au couvent.

Pendant qu'elle me narrait ses dialogues avec son amour de curé, Évelyne Leduc continuait à tortiller encore et encore sa mèche autour de son index. On aurait dit qu'elle essayait de démêler ce qu'il y avait d'inextricable dans sa tête et dans son récit.

Et moi, plus j'écoutais, plus je voulais savoir ce qu'il s'était passé par la suite.

— Alors? lui ai-je demandé.

— Alors, on a continué à se voir, Gérald et moi, tous les jours, après les cours. Il venait me rejoindre au registrariat et on se dirigeait chaque jour au même restaurant; c'était une affaire entendue une fois pour toutes sans qu'on ait besoin de se consulter.

— Il vous restait toujours quelque chose à vous dire?

— On n'a jamais épuisé la conversation. Un jour, il m'a demandé si je voulais des enfants. J'ai répondu que j'en voulais beaucoup plus à l'époque où il travaillait à la reconstruction des bâtiments, et que le temps risquerait de me manquer à présent pour en faire autant que j'en voulais à ce moment-là, mais que j'espérais bien en avoir quelques-uns. Il a fait un drôle d'air, comme s'il avait eu envie de pleurer. Je n'ai pas compris pourquoi.

⟡

On s'est mariés dix mois après s'être retrouvés. La nouvelle a mis mes parents aux abois : « Comment ! Tu entres au cloître sans tambours ni trompettes ! Tu quittes le couvent du jour au lendemain ! Et sitôt sortie, tu veux te marier ! Avec l'ancien curé de la paroisse par-dessus le marché ! Es-tu sûre d'avoir toute ta tête ? »

Je n'étais sûre de rien, sauf de ce qui m'arrivait au jour le jour. Je ressentais une urgence d'agir qui ne me laissait aucun répit. Il fallait faire vite. J'avais été trop longtemps en contemplation je pense.

Le mariage a eu lieu à Montréal, là où personne ne nous connaissait. C'était le meilleur moyen d'épargner à mes parents les interrogatoires et les commentaires des gens du village ; ils se seraient certainement tous intéressés à notre affaire s'ils en avaient eu la chance.

La lune de miel a été simple, ainsi que l'avait été le mariage. Nous avons emménagé dans notre nouvel appartement, non loin de la polyvalente, et je suis devenue enceinte presque tout de suite.

Cette année-là, la relâche d'hiver coïncidait avec le congrès des professeurs de mathématiques, auquel bien entendu je n'étais pas invitée. J'ai profité de l'occasion pour passer quelques jours chez mes parents et renouer avec mon village natal. Je voulais prendre le temps de bien faire connaître mon bébé à mes parents. Julie n'avait que quelques semaines et j'étais heureuse de leur laisser le temps d'apprécier un si précieux cadeau.

Mon père et ma mère semblaient de plus en plus inquiets du sort et de l'avenir de leurs enfants. Les jeunes n'appréciaient pas le legs de la génération précédente. La mode était à présent aux communes, fruits du développement des nouveaux courants d'idées écloses depuis le début de la Révolution tranquille. Selon mes parents, dans ces endroits où semblait régner l'anarchie, la famille n'avait plus sa place à proprement parler. Les enfants, élevés sous la gouverne de tous les adultes d'un même lieu, n'obéissaient plus aux règles généralement de rigueur au sein d'une cellule familiale traditionnelle. Autant dire qu'ils n'obéissaient plus à rien du tout, ces enfants. Ils avaient parfaitement intégré le confortable principe qui rendait les adultes responsables de tous les enfants, sans qu'eux-mêmes ne se trouvent jamais confrontés à une quelconque notion de devoir. Ils existaient pour prendre des autres, sans jamais se sentir tenus de rien donner en contrepartie ; rien d'autre que leur présence, réputée extraordinairement gratifiante.

Le nombre d'enfants par famille avait brusquement diminué au point d'égaler à peine le seuil de remplacement des défunts. Cette chute monumentale avait pour effet de pousser la population à exacerber une notion particulière de la qualité en lieu et place de la quantité. Cette tendance se manifestait par une appréciation démesurée de la valeur des actions d'un enfant. Le moindre geste jugé insignifiant dix ans auparavant se voyait encensé et mis en évidence aux yeux de tous. On élevait en performance digne d'être applaudie toute espèce d'expression publique présentée par un auteur jeune, mais culotté, qui avait décidé de se faire entendre de tous. Et tous se considéraient tenus d'ovationner l'orateur au nom d'un principe qui s'harmonisait à l'ensemble : « On ne décourage pas chez un enfant la manifestation de ses tendances naturelles, le rôle de l'adulte étant de favoriser la libre expression de ces tendances. »

⌒

Évelyne Leduc s'intéressait à ce mouvement, pour elle du moins, révolutionnaire, qui transparaissait jusque dans la polyvalente où elle travaillait. Lorsqu'elle manifesta son désir d'aller faire un tour à la commune la plus proche, sa mère la rabroua sans équivoque :

« Va pas mettre ton nez dans ces endroits-là, toi ! Tu nous as déjà causé assez d'ennuis comme ça. »

Évelyne éprouva un profond chagrin de cette remarque. Elle se serait attendue à une réaction semblable lorsque son père avait reçu du cloître la facture pour la dot qu'il aurait dû verser. Elle n'aurait pas été surprise non plus d'entendre de ses parents davantage d'amers reproches quand elle leur avait annoncé son mariage avec Gérald Langevin. Mais pour une simple visite de curiosité dans une commune, elle trouvait leur réaction nettement exagérée.

Évelyne se promit d'effectuer plus tard cette visite, sans toutefois, parler à qui que ce soit de son projet, afin de ne pas contrarier ses parents. Il y avait une commune en particulier qui piquait sa curiosité. On n'y voyait pas d'hommes, seulement des femmes et des enfants, beaucoup d'enfants. C'est celle-là qu'elle visiterait en premier lieu, lorsque l'occasion s'en présenterait.

Les cinq jours de relâche scolaire terminés, Évelyne rentra chez elle et y retrouva son mari. Les discussions avaient dû s'avérer âpres et les décisions, ardues, car Gérald paraissait exténué.

À la maison, il parlait rarement de son travail et, de son côté, Évelyne ne commentait pas les aléas du registrariat à l'extérieur du bureau.

— Je sentais que, cette fois, nous aurions eu avantage à échanger nos opinions sur le sujet, mais par habitude ou de propos délibéré de la part de Gérald, nous n'avons pas abordé les problèmes intra-muros de l'école. À vrai dire, on ne se parlait pas beaucoup. Quand j'arrivais du travail, j'enfilais mon tablier pour besogner à la cuisine, tandis que Gérald jouait avec Julie et la faisait manger. Et puis, l'heure de passer à table coïncidait avec celle des Actualités à télé et je n'osais pas couper mon mari du reste du monde pour préserver le tête-à-tête qu'il ne semblait pas souhaiter. J'étais mariée, c'était déjà beau ; je n'aurais pas su comment manifester des exigences supplémentaires. Ce n'est pas au cloître qu'on vous apprend à stimuler la conversation avec un homme.

— Vous n'avez pas à vous en excuser. Il aurait pu, lui aussi, faire un effort.

Elle m'a regardée d'un œil surpris, tellement étonné que j'ai cru qu'elle avait oublié ma présence.

C'est à ce moment que je me suis demandé ce que, effectivement, je faisais là. Je me suis dit que si je ne partais pas, j'allais arriver en retard à mon cours de piano ; le rater complètement peut-être.

Elle n'a pas bronché et je n'ai pas bougé.

— Vous savez, m'a-t-elle dit, quand on a pour objectif premier de se marier et de fonder une famille, et que, tout à coup, on s'aperçoit qu'on a devant soi le partenaire qu'on cherchait, on ne veut pas voir *les mais, les cependant, les si, ni les par contre* qui pourraient se présenter ; on se dit qu'on a ce qu'on voulait et qu'en allant chercher plus loin, on risquerait de tout perdre.

— C'est bien réducteur tout ça, lui ai-je répondu.

— Réducteur, réducteur ! Je voudrais bien vous voir, vous, enfermée pendant huit ans dans une cellule grande comme un placard.

— Je n'y serais pas restée enfermée, vous pouvez en être certaine.

Je me suis dit qu'elle devait me donner vingt ans ou plus, mais sûrement pas mon âge réel, puisqu'elle se vexait de ma remarque.

— Continuez ! Après, qu'est-ce qui s'est passé ?

— Après ? Quand Julie commençait à marcher, je suis devenue enceinte de nouveau. On a élaboré des projets, Gérald et moi, pour acheter une maison. Rien n'était définitif, mais je regardais à droite et à gauche les perspectives d'achat.

Un samedi, alors que Gérald avait une réunion avec les collègues des maths, j'ai pris Julie et je l'ai emmenée à nouveau chez mes parents. Toute la famille était ravie de la garder pour la journée entière. Pendant ce temps, j'avais l'intention de me rendre seule au village, histoire de comparer les maisons à vendre d'une paroisse à l'autre. Je me suis présentée au magasin général, afin de faire des provisions pour Julie et j'ai orienté la conversation du côté de la commune des femmes. Il venait de s'y produire un incendie majeur qui avait dégénéré en feu de forêt ; les bâtiments avaient brûlé aussi.

— Savez-vous comment c'est arrivé ? demandai-je aux clients et aux vendeuses du magasin.

Tout le monde connaissait une partie de l'histoire et se sentait en mesure de contribuer à reconstituer les faits.

L'ensemble des renseignements a donné ceci : « Les femmes avaient résolu de faire un grand feu en plein air pour célébrer le premier anniversaire de la fondation de la commune. Il était plus facile de se procurer du bois sec en faisant le feu à l'autre extrémité de la terre, près de la forêt. Le feu a pris de l'ampleur, le vent a poussé des étincelles vers les arbres les plus secs.

Dans le temps de le dire, le feu s'est propagé à toute la forêt. On n'a même pas eu le temps d'aller chercher des seaux d'eau à la maison; on s'est aperçu que les bâtiments étaient également en flammes. La commune a été évacuée, à cause du danger pour les enfants qui étaient une quarantaine, au moins, à ce qu'on dit. Pendant plusieurs jours, le sous-sol de l'église était rempli de dormeurs enveloppés dans des couvertures, en attendant d'être relocalisés dans des maisons mobiles. Maintenant, on annonce plusieurs corvées pour reconstruire les dépendances et la résidence principale.

— Est-ce que quelqu'un peut m'expliquer comment il se fait qu'il y a autant de femmes et d'enfants dans cette commune?

— Elle le sait pas! Commenta avec surprise Pierrette Tremblay, celle qui connaissait tous les potins du village.

— J'ai été longtemps absente, expliqua Évelyne.

— Ces femmes-là font partie d'un groupe plutôt spécial; des femmes seules avec un ou plusieurs enfants: « L'Association des familles où le père est un prêtre ».

J'ai dû devenir plus blanche que les rideaux qui ornaient la vitrine du magasin.

En rentrant, j'ai parlé à Gérald de la commune des femmes et du malheur qui frappait leur groupe.

— Ces temps-ci, elles font une corvée les samedis et les dimanches pour rebâtir ce qui a brûlé. Tu es habile en reconstruction ; on pourrait aller les aider, toi et moi.

Il a pris ma suggestion pour une plaisanterie de mauvais goût. Rouge de colère, il m'a répondu :

— Je te croyais plus intelligente que ça.

Inutile de préciser que j'ai passé plusieurs nuits sans fermer l'œil. Gérald non plus ne dormait pas très bien, je pense. Il se tournait et se retournait dans le lit sans dire un mot. Finalement, il m'a annoncé qu'il aurait une autre réunion des professeurs de maths le samedi suivant.

Je me sentais incapable d'aborder le sujet avec mon mari. Il surgirait trop de questions, insultantes pour lui si elles s'avéraient non pertinentes, sources de souffrance pour moi si elles l'étaient. Je n'en parlerais pas aussi longtemps que je n'aurais pas découvert le fin fond de cette histoire ; c'était ma décision. J'ai donc gardé le silence et avalé ma peine en espérant que le pire ne s'était pas produit.

Un mois plus tard, j'ai accouché comme un automate, et je me demande encore comment j'ai réussi à passer à travers cette épreuve.

Sitôt remise de mon accouchement, j'ai rassemblé les vêtements trop petits pour Justine en vue d'habiller les fillettes plus jeunes qu'elle qui vivaient à la commune incendiée.

Cette fois, c'est moi qui ai pris l'initiative de dire à mon mari que j'avais des affaires à régler seule avec mes parents. Gérald m'a proposé de garder Julie.

J'avais plusieurs sacs à transporter à la commune, lorsque je m'y suis présentée le samedi suivant.

Les femmes étaient toutes à la tente qui leur servait de salle commune, avec leurs enfants. Le moins que l'on puisse dire, c'est qu'il y en avait beaucoup, l'œil et le sourire en coin, comme les mères prêtes à se moquer de moi, si j'en croyais ma première impression. Je me suis demandé si elles étaient riches et si c'était cela qui leur donnait envie de rire en me voyant leur apporter l'aumône, alors qu'elles pouvaient acheter tout ce qu'elles désiraient.

L'une des mères m'adressa la parole en se retenant de s'esclaffer :

— Vous trouvez pas que ma fille ressemble à quelqu'un ?

— C'est possible, mais en ce moment, je ne vois pas à qui.

— Et mes jumeaux ? Ils ne vous rappellent personne non plus ? Demanda une autre mère d'un ton à la fois moqueur et méchant.

— Non, pas vraiment. Mais dites-moi, combien est-ce qu'il y a de paires de jumeaux et de jumelles ici ?

— Y'en a beaucoup, hein! On les compte même plus.

Il y en avait de tous les âges, certains étaient au bord de l'adolescence, d'autres, plus jeunes que ma fille, ne marchaient pas encore.

— Vous êtes sûre que vous savez pas à qui mes jumeaux ressemblent? Insista la mère.

— Puisque je vous dis que je ne vois pas.

— Fais pas semblant d'être plus stupide que tu l'es, la nonne.

Je me sentais mal. Je me suis précipitée sur ma poussette et je suis sortie en courant.

Alors qu'elle me relatait les derniers détails de son abominable aventure, j'ai entendu un bébé qui pleurait. Je me suis tournée vers l'endroit d'où venaient les pleurs et j'ai entendu un deuxième bébé qui accompagnait les vagissements du premier.

À ce moment, la dame s'est levée, droite et raide comme un robot, elle s'est dirigée vers la poussette que je n'avais pas encore remarquée, elle a pris les deux bébés qui s'y trouvaient, et s'est assise à nouveau dans l'herbe.

Je ne pouvais pas croire que le spectacle que je voyais était réel.

— Vous ne m'aviez pas dit que vous aviez des jumeaux.

J'ai compris qu'elle ne me répondrait pas.

Alors, j'ai enfourché ma bicyclette et, espérant arriver à temps pour ma leçon de piano, je me suis remise en route pendant qu'Évelyne Leduc allaitait ses jumeaux.

Achevé d'imprimer
au quatrième trimestre de 2013
à Montmagny (Québec)
sur les presses de Marquis Imprimeur